Oui-Oui
décroche
la lune

Illustrations de Jeanne Bazin

Ce livre
appartient à :

. . . .

offert par :

. . . .

© *Hachette, 1977, 1989, 1992*
Tous droits de traduction, de reproduction
et d'adaptation réservés pour tous pays.

Hachette, 79, boulevard Saint-Germain, Paris VIe

Chapitre 1

Oui-Oui décroche la lune

Ce soir-là, Oui-Oui, le petit bonhomme en bois, rentrait chez lui à Miniville, la capitale du Pays des Jouets. Il était au volant de sa petite voiture jaune. Broum! Broum! Il traversait le bois à toute allure. Comme c'était amusant de faire voler les feuilles mortes entre les talus!

Brusquement, il freina : voilà

que Lili-la-Canette allait se jeter sous ses roues. Elle paraissait bien agitée!

« Oui-Oui, s'écria-t-elle, vite, viens voir! Il s'est passé là-bas quelque chose de vraiment bizarre. »

Oui-Oui arrêta son moteur et descendit de voiture.

Lili-la-Canette lui fit signe de la suivre. Elle l'emmena au bord d'une mare, derrière sa maison, et tendit un de ses ailerons vers l'eau.

« Regarde, Oui-Oui, regarde! La lune est tombée dans ma mare. »

Oui-Oui se pencha sur l'eau. C'était vrai. Tout au fond de la mare brillait une grosse lune aussi ronde qu'une galette.

C'était étrange.

« Qu'est-ce que nous allons faire ? demanda la canette. Il ne faut pas que la lune reste ici. Je ne peux pas nager et plonger dans la mare avec cette lune qui tient toute la place. Oui-Oui, trouve quelque chose ! »

Le petit pantin commença à réfléchir, tant et tant que le grelot de son bonnet bleu se mit à tinter. Puis il hocha la tête et le grelot tinta de plus belle.

« Lili, je sais ce qu'il faut faire. Je prends un filet à crevettes, et je pêche la lune ! Comme ça, tu pourras nager, plonger, batifoler dans l'eau tant que tu voudras.

— Il y a un filet dans la remise!» répondit aussitôt la canette, toute joyeuse.

Oui-Oui entra dans la remise et prit le filet. Il revint au bord de la mare et se mit à pêcher. «Et hop! j'attrape la lune dans le filet. Et hop! je tire. Et hop!... Quoi? Que se passe-t-il? Pourquoi la lune n'est-elle pas dans le filet?»

Oui-Oui recommença à pêcher. Et hop! Et hop! Et hop! Mais il avait beau plonger son filet

bien au fond, il avait beau tirer de toutes ses forces, la lune restait dans la mare et continuait à briller, ronde comme une galette.

« Cette lune est vraiment contrariante ! » s'écria le petit pantin qui commençait à se fâcher.

Il fronça les sourcils très fort.

« Lune, laisse-moi t'attraper ! Tu vas te noyer à force de rester là, dans cette mare. Allons, allons, viens dans mon filet, ne fais pas la bête ! »

Mais la lune semblait se trouver à son aise tout au fond de l'eau. Elle n'avait pas du tout envie de se laisser attraper.

On entendit des bruits de pas. Oui-Oui tourna la tête pour voir qui arrivait. C'était le gendarme.

« Qu'est-ce que tu fais donc,

Oui-Oui? Tu trouves que c'est une heure pour pêcher dans la mare de Lili-la-Canette? Il fait complètement nuit.

— C'est la lune que je suis en train de pêcher, monsieur le gendarme. Regardez, elle est tombée dans la mare. Essayez donc de l'attraper, vous verrez. Moi je n'y arrive pas!»

Le gendarme éclata brusquement de rire. Ha! ha! ha! Il s'en tenait les côtes! Ha! ha! Il riait si fort que la canette eut peur et se mit à pousser des coin-coin effrayés.

Tout cela faisait un de ces
bruits!

Ha! ha! ha!

Coin! coin! coin!

Hi! hi!... Ho! ho!

Oui-Oui se fâcha tout rouge.
Il jeta le filet à crevettes à la tête
du gendarme, mais heureuse-
ment, il le manqua! Le gendarme
continuait à rire de tout son
cœur.

« Qu'est-ce qu'il y a? cria Oui-
Oui. Pourquoi riez-vous donc
comme ça?

Qu'est-ce que j'ai fait?

— Oh! Oui-Oui, répondit le gendarme, lève les yeux vers le ciel!»

Le gendarme s'étrangla soudain en poussant un hurlement de rire.

« Dis-moi, Oui-Oui, que vois-tu là-haut?»

Oui-Oui leva les yeux. Lili-la-Canette en fit autant. Là-haut, entre les nuages, brillait une grosse lune toute ronde. On aurait dit une grosse galette.

Oui-Oui eut l'impression qu'elle clignait de l'œil et se moquait de lui.

« Mais, pourtant, s'écria-t-il, elle est tombée dans la mare! Regardez, on la voit! Ce n'est pas possible! Elle ne peut pas être à la fois là-haut et...

— Mon pauvre Oui-Oui, tu

peux bien regarder dans toutes
les mares, dans tous les puits
sur ton chemin de retour d'ici à
ta maison. Tu verras toujours
une grosse lune dans l'eau. Mais
ce n'est pas la vraie lune. Essaie
de comprendre si tu peux!»

Le gendarme s'en alla,
toujours plié en deux. On entendit encore son gros rire. Ha!
ha! ha!

Oui-Oui et Lili-la-Canette s'en
allèrent ensemble et se
penchèrent tous deux sur toutes
les mares et sur tous les puits
qu'ils rencontrèrent.

Partout ils virent
briller une grosse lune
bien ronde.

Oui-Oui n'a toujours pas
compris pourquoi. Mais vous,
vous avez sûrement compris.

Chapitre 2

Atchoum! Atchoum!

« Atchoum!»
fit soudain Oui-
Oui en dépliant
son mouchoir.
Son ami le nain Potiron était
justement venu le voir.

« Oui-Oui, lui dit-il, tu as
attrapé un rhume.

— Ce n'est pas ça, répliqua
Oui-Oui. Je crois que c'est
plutôt le rhume qui m'a attrapé.
Oh! Potiron, j'espère bien que
je ne te l'ai pas passé!...
Atchoum! Atchoum!...

— Tu devrais aller au lit avec une bouillotte bien chaude. Enroule-toi dans ta robe de chambre et bois une tisane avec un peu de citron. Tu verras que, bientôt, ça ira mieux.»

Oui-Oui n'avait pas du tout envie de rester au lit. Il ne passa pas son rhume à Potiron mais il ne le garda pas non plus pour lui tout seul. Il était en train de conduire son petit taxi jaune quand il entendit soudain un bruit bizarre.

«Borrum! Borrrum!»

La voiture trembla et se mit à frissonner. Oui-Oui demanda d'un ton inquiet :

«Qu'est-ce que tu as donc?

Quelque chose qui ne va pas dans le pot d'échappement?

— Borrrrum! fit encore la voiture en frissonnant de plus belle.

— J'ai l'impression que tu éternues. Je parie que tu as attrapé mon rhume! Eh bien, me voilà joli! Qu'est-ce que je vais faire avec une voiture qui éternue sans arrêt? Allons, rentrons à la maison. Je crois que tu as besoin de te coucher.»

Oui-Oui reprit le chemin de sa petite-maison-pour-lui-tout-seul. Il rentra la voiture au garage et alla chercher dans son armoire une grosse couverture rouge qu'il enroula autour du capot, comme un châle.

«Tu es bien, au moins! s'écriat-il. As-tu assez chaud?

15

Attends, je vais aller te chercher
une tisane avec
du citron. »

Il versa un grand pot de tisane
bouillante dans le réservoir de
la voiture qui sembla pousser un
soupir de contentement.

« Maintenant, continua
OuiOui, je vais te chercher une
bouillotte. »

De nouveau, il se précipita
dans la cuisine. La bouillotte fut
bientôt prête. Il la mit juste en
dessous du petit taxi pour lui
tenir bien chaud.

«Tu seras bientôt guérie, s'écria-t-il. Reste au chaud, tâche de bien dormir. Demain, il faudra que tu sois en forme, parce que nous avons des tas de clients à transporter.»

Le petit taxi s'endormit aussitôt. On entendit très vite des ronronnements sonores. Brrr! Brrrr! Brrr!

Mme Bouboule, l'ourse en peluche qui habitait tout à côté de la maison de Oui-Oui, vint écouter à la porte du garage. Elle se demandait ce qui se passait. Elle risqua un œil par le trou de la serrure.

La petite voiture continuait à ronfler paisiblement sous sa couverture.

Mme Bouboule ne put s'empêcher d'éclater de rire.

«Je reconnais bien là Oui-Oui!

s'écria-t-elle. Comme il s'occupe avec tendresse de sa petite voiture! J'imagine qu'elle a attrapé un rhume. Mais, si bien soignée, elle ira sûrement mieux demain. »

Et bien sûr, le lendemain, la petite voiture était guérie. Elle ne reniflait plus. Elle ne toussait plus et n'éternuait plus du tout.

« Viens vite! » s'écria Oui-Oui en se mettant joyeusement au volant.

Il appuya sur l'accélérateur et se précipita chez ses clients.

« Tu vois, expliqua-t-il le soir à son ami Potiron. Je ferais un bon docteur. Je suis capable de guérir même les voitures! Il n'y a pas beaucoup de médecins qui peuvent en dire autant! »

Chapitre 3

Oui-Oui et les petites poupées

Ce matin-là, une grande poupée blonde vint frapper à la porte de la maison de Oui-Oui.

« Est-ce que tu pourrais emmener mes neuf filles au bois ? demanda-t-elle au petit pantin. Elles voudraient faire un piquenique. Ce sont de toutes petites poupées, elles se caseront

très bien toutes les neuf dans ton taxi. Emmène-les au bois des Lutins, il paraît que c'est joli.

— Excellente idée! répondit Oui-Oui qui adorait les piqueniques. Avez-vous préparé le panier de provisions?

— Le voici. Et il y a aussi à manger pour toi, Oui-Oui. »

La poupée blonde alla chercher ses neuf filles. Elles étaient toutes excitées. C'est si amusant de partir en pique-nique!

Leur mère les aida à monter toutes les neuf dans la voiture, puis elle mit le gros panier sous les pieds de Oui-Oui.

Le petit pantin dut se recroqueviller sur son siège.

«Je vais être obligé de conduire les genoux contre le nez! s'écria-t-il. Allons, tant pis! Vous êtes prêtes?

— Oui-Oui, intervint la poupée blonde, fais bien attention! Ramène-les-moi toutes à la maison ce soir! Avec toi, cela fait dix dans le taxi. Au retour, avant de remonter en voiture, compte-les bien. Ne pars que si tu as bien ton compte. Sais-tu compter jusqu'à dix, au moins?

— Evidemment! Un, deux, trois, quatre, cinq, six, sept, huit, neuf, dix!

— Parfait. Allez, au revoir et bonne journée! Amusez-vous bien!»

Oui-Oui mit le taxi en marche.

Quelle chance d'aller au bois avec toutes ces petites poupées aussi drôles que gentilles!

Ils allaient bien rire et faire de bonnes parties de cache-cache. Oui-Oui avait l'impression d'être un peu trop grand pour elles. Mais c'était plutôt les poupées qui étaient vraiment trop petites! Et pour une fois, cela le changeait de se sentir le plus grand.

Ils arrivèrent bientôt au bois des Lutins.

«Jouons à cache-cache, proposa une des poupées.

— Oh! oui, jouons à cachecache! Jouons à cache-cache!» répétèrent les huit autres en riant comme de petites folles.

Ils firent plusieurs parties avant l'heure du déjeuner. Puis, quand tout le monde eut bien chaud, ils cherchèrent une belle place à l'ombre et Oui-Oui défit le panier à provisions.

Quel magnifique pique-nique! Des sandwiches de toutes sortes en quantité! Aux œufs durs, aux tomates, et même aux bananes.

Des biscuits au chocolat, des biscuits à la noix de coco. Un gros gâteau aux cerises et une tarte aux myrtilles. De la limonade et de l'orangeade pour tous. Vraiment, ils étaient gâtés!

Après avoir tout mangé, ils jouèrent à des tas d'autres jeux. Mais ce qu'ils préféraient, c'était encore jouer à cache-cache. Ils y jouèrent à nouveau jusqu'au soir.

Puis Oui-Oui interrogea un petit rossignol.

« Rossignol, quelle heure est-il?

— Je ne sais pas du tout l'heure qu'il est, mais je peux te dire que c'est le moment de rentrer. Le soleil est sur le point de se coucher.

— Alors nous partons, répondit Oui-Oui. Allez, les poupées, montez vite dans la

voiture! Ah! non, attendez! Je
dois d'abord vous compter pour
savoir si nous sommes bien dix
en tout!»

Il demanda aux petites
poupées de se tenir la main en
faisant la ronde. Puis il se mit à
les compter.
Une, deux, trois,
quatre, cinq, six,
sept, huit, neuf...
« Mais nous devrions
être dix! Oh! restez
un peu tranquilles! Je
vais vous recompter. Une, deux,
trois, quatre, cinq, six, sept,
huit, neuf. Neuf! Nous ne
sommes que neuf!

— Où est la dernière? s'écria une des poupées avec des larmes dans la voix. Est-ce que nous l'avons perdue tout à l'heure en jouant à cache-cache?

— Sûrement, répondit Oui-Oui. Il faut que nous la retrouvions!»

Ils explorèrent rapidement

toutes les cachettes. Mais on n'y trouva aucune petite poupée.

Oui-Oui recompta à nouveau.

«Une, deux, trois, quatre, cinq, six, sept, huit, neuf...»

Toujours
neuf! Pas
une de
plus!

« Montez
tout de
même en
voiture,
leur dit-il,
parce que,
maintenant, il fait nuit!»

Oui-Oui était bouleversé.
Qu'est-ce qu'il allait dire à la
mère des petites poupées?
C'était vraiment terrible d'en
ramener une de moins!

Il mit le moteur en marche et
conduisit bien tristement jusqu'à
la maison de la grande poupée
blonde.

Elle vint sur le seuil accueillir
le taxi.

« Merci! dit-elle à Oui-Oui.

Avez-vous passé une bonne journée?»

Oui-Oui ne répondit pas tout de suite. Il aida les petites poupées à descendre de voiture. Il était de plus en plus triste. Comment dire la vérité?

« Ecoutez-moi, commença-t-il en bafouillant un peu. Je suis vraiment désolé mais j'ai bien peur qu'il ne manque une de vos filles. J'ai compté et recompté, j'en trouve toujours neuf au lieu de dix. Je vais retourner tout de suite au bois des Lutins. Je passerai la nuit à la chercher, vous pouvez en être sûre!

— Tu dois t'être trompé en comptant, répondit la poupée blonde. Elles sont toutes là.

— Mais non! Tenez, je vais les recompter!»

Oui-Oui demanda aux petites poupées de s'aligner contre le mur.

« Une, deux, trois, quatre, cinq, six, sept, huit, neuf... Là, vous voyez bien ! Il en manque une !

— Mais, mon pauvre Oui-Oui, tu as oublié de te compter toimême ! Laisse-moi compter à mon tour ! Une, deux, trois, quatre, cinq, six, sept, huit, neuf, DIX ! Le dixième, c'est toi ! Tu as compté tout le monde sauf toi. Quel étourdi tu es ! »

Oui-Oui se mit à rire. Il était un étourdi, c'était vrai. Mais il était bien content de ne pas avoir perdu de petite poupée dans les bois.

« Je suis vraiment bête ! s'écriat-il en hochant la tête à toute vitesse.

— Mais tu es tellement gentil!» répliquèrent les petites poupées en l'entraînant dans une ronde échevelée.

Elles le firent tourner si vite qu'il eut du mal à reprendre son souffle.

Quel drôle de petit bonhomme que ce Oui-Oui! Peut-on imaginer ça? Oublier de se compter soi-même?

Chapitre 4

Oui-Oui, où est
ta voiture ?

Miniville était en fête parce qu'on attendait le Père Noël. Il arriva dans un magnifique traîneau rouge tiré par des rennes. Chacun l'attendait sur le pas de sa porte, revêtu de ses plus beaux habits. Quelle joie de le voir entrer à Miniville !

« Bravo ! Vive le Père Noël ! »

cria-t-on de toutes parts dès qu'on aperçut le traîneau.

Le Père Noël était le roi du Pays des Jouets. Les jouets l'aimaient de tout leur cœur.

Les drapeaux claquaient joyeusement au vent et beaucoup de jouets lançaient des fleurs vers le traîneau.

Quand celui-ci s'arrêta, les jouets se prirent par la main pour former une immense farandole. On se mit à chanter et à danser. Oui-Oui dansa avec le nain Potiron. Et Mlle Chatounette fit danser le gros M. Bouboule, l'ours en peluche. Tout le monde riait de joie!

A chaque fenêtre, on avait attaché des quantités de ballons multicolores. Ils flottaient dans le vent comme de grosses bulles de savon. C'était splendide!

«Voici deux gros ballons, Oui-Oui! s'écria Potiron. Attrape-les vite!»

Oui-Oui rattrapa au vol les deux gros ballons. Puis il en attrapa encore quatre : il en avait deux verts, un rouge, un jaune, un bleu et un violet.

«Si tu les attachais à ta voiture? suggéra Potiron. Ce serait joli.

La voiture de Oui-Oui prit tout de suite un air de fête. Et Oui-Oui s'en alla manger des glaces en compagnie de Potiron.

Ils étaient tous les deux assis à

la pâtisserie lorsque le vent se mit à souffler. Tous les ballons s'agitèrent. Et ceux qui étaient attachés à la voiture de OuiOui s'agitèrent comme les autres. Ils avaient même bien envie de s'envoler. Quel vent!

Le vent continua à souffler de plus en plus fort. Les ballons n'y tinrent plus. Ils s'envolèrent. Et en s'envolant, ils entraînèrent dans les airs la petite voiture jaune de Oui-Oui!

Les deux amis étaient toujours à la pâtisserie en train de se régaler.

Quand ils en sortirent enfin, ils cherchèrent le petit taxi jaune. Où était-il? On ne le voyait nulle part.

«Ma voiture est perdue! gémit Oui-Oui.

— Elle s'est envolée avec les ballons, déclara un petit lutin habillé en vert. J'ai tout vu. Ta voiture est passée par-dessus les toits.

— Je la retrouverai, fit Oui-Oui, résolument. Mon cher Potiron, emmène-moi sur ta bicyclette. Nous partons à la recherche de ma voiture ! »

Ils partirent donc tous les deux.

En chemin, ils rencontrèrent deux lapins en peluche.

« Avez-vous vu une voiture

traînée par des ballons? leur demanda Oui-Oui.

— Bien sûr! Comment l'avez-vous deviné? Elle volait vers l'arche de Noé, répondit un des lapins.

— C'est votre voiture? demanda l'autre lapin. Vous feriez bien de vous dépêcher de la retrouver! Un des ballons a éclaté et les autres ne vont peut-être pas tarder à en faire autant!»

Oui-Oui et Potiron repartirent à toute allure sur la bicyclette. On ne voyait plus la petite voiture dans le ciel.

Que s'était-il donc passé?

Ce qui s'était passé? Un oiseau avait donné un coup de bec dans un ballon. Un autre oiseau était venu se joindre à lui. Et bang! bing! bong! Les ballons avaient tous éclaté les uns après les autres.

Plouf! La voiture était tombée d'un seul coup en plein milieu de l'Arche de Noé.

Les animaux de l'Arche étaient stupéfaits.

«Qu'est-ce qui nous tombe dessus? crièrent les ours.

— Une auto, une auto! répondit la girafe. J'ai toujours rêvé de conduire une auto!»

Elle se précipita à l'intérieur de la voiture et fit le tour de l'Arche en renversant deux ou trois sapins.

Puis les ours voulurent conduire à leur tour. Ils allèrent cogner contre M. Jumbo, l'éléphant, qui se mit dans une violente colère.

« Alors quoi ? grogna-t-il. Regardez où vous allez ! »

Et avec sa trompe, il saisit un ours, puis l'autre et les fit sortir de la voiture.

« Et moi ? Si je montais làdedans ? » se dit tout à coup M. Jumbo.

Il essaya d'entrer dans la voiture, mais il était bien trop gros ! Oh ! viens vite, Oui-Oui, avant qu'il ne mette ta voiture en mille miettes !

Dring ! Dring ! Justement

OuiOui arrivait avec Potiron sur
la bicyclette.

Oui-Oui poussa un hurlement.

« Monsieur Jumbo ! Qu'est-ce
que vous faites ? Voulez-vous
sortir de là tout de suite ! »

M. Jumbo, en voulant sortir
trop vite du petit taxi jaune, le
renversa, les quatre roues en
l'air.

Alerté par le bruit, Noé
arriva. Il demanda ce qui se
passait. Quel remue-ménage !

«Rentrez tout de suite dans l'arche! ordonna-t-il d'un ton sévère aux animaux. Allez vite, en ordre, deux par deux!»

Puis il aida Oui-Oui et Potiron à remettre la voiture sur ses roues.

«J'aimerais bien faire une promenade», déclara-t-il ensuite.

Oui-Oui l'emmena donc faire un petit tour jusqu'à Miniville. Et Potiron les suivit à bicyclette.

«Voulez-vous rester dans la voiture un moment pendant que je dis bonjour à Mlle Chatounette?»demanda le pantin.

Noé fit signe que oui. Oui-Oui descendit de voiture.

Et voilà que, poussés par le vent, des ballons arrivèrent en grappe non loin de la voiture.

«Tiens, j'ai une idée, dit Noé.

Je vais lui faire une surprise.»

Il attrapa quelques ballons et
les attacha aux pare-chocs de la
voiture, au volant et aux
poignées des portières.

«Là, comme cela, la voiture
est magnifique! Je suis sûr que
Oui-Oui va être content.»

Il y avait des ballons rouges,
des verts, des jaunes, des bleus.
Tous flottaient au vent!

Oui-Oui avait
reconduit
Mlle
Chatounette

jusqu'à sa porte. Il arrivait
maintenant en courant. Il

s'arrêta brusquement. Il avait aperçu les ballons.

« Encore ! s'écria-t-il.

— N'est-ce pas que c'est plus joli comme ça ? déclara Noé.

— Ah non ! cria le petit pantin. Cela suffit ! Je ne veux plus jamais qu'on attache de ballons à ma voiture !»

Il était rouge de colère.

Noé ne comprit jamais pourquoi Oui-Oui s'était mis dans un état pareil.

Chapitre 5

Oui-Oui est astucieux

Ce jour-là, Oui-Oui était invité à goûter chez MmeBouboule. Mlle Chatounette était là, elle aussi, et c'était vraiment la plus gentille des invitées.

« Bonjour, mademoiselle Chatounette, lui dit poliment Oui-Oui. J'espère que vous allez bien.

— Elle est très ennuyée, déclara Mme Bouboule. Elle vient de découvrir quelque chose d'inquiétant. Elle a bien des griffes sur ses pattes de devant, mais elle n'en a pas sur ses pattes de derrière!

— Et alors? demanda Oui-Oui. Quelle importance cela peut-il bien avoir?

— Comment, quelle importance? fit Mlle Chatounette. Je ne suis pas une vraie chatte si je n'ai pas de griffes à toutes mes pattes. Je ne m'en étais encore jamais aperçue, mais un lutin rouge s'est moqué de moi ce matin en me le faisant remarquer. J'en suis encore tout émue!

— Et si vous vous achetiez des griffes?

— Tu es bête! dit Mlle Chatounette en baissant les yeux.

— Mais vous portez des chaussures! dit encore Oui-Oui. Comment le lutin rouge a-t-il vu que vous n'aviez pas de griffes aux pieds?

— J'étais en train d'essayer des sandales neuves dans son magasin. C'est lui qui vendait les sandales. Quand il a vu que je n'avais pas de griffes, il a éclaté de rire. Il a été très mal élevé!»

Mme Bouboule tendit un gros

morceau de gâteau au chocolat à Mlle Chatounette. «Elle n'a rien mangé! s'exclamat-elle d'un ton désolé. Et elle n'a même pas bu sa citronnade!»

Mlle Chatounette fit signe qu'elle était trop triste pour manger ou boire.

«Alors, si vous n'en voulez pas, je vais tout ranger dans le réfrigérateur. Nous le mangerons demain.»

Oui-Oui ne trouvait pas du tout que c'était une bonne solution. Il avait envie de manger du gâteau

46

et de boire de la citronnade, et il savait bien que, le lendemain, il ne serait pas invité à goûter...

Il jeta un coup d'œil sans entrain par la fenêtre. Les rosiers de Mme Bouboule étaient couverts de fleurs splendides.

Soudain le visage du petit pantin s'illumina. Vite, il se mit debout.

« Est-ce que je peux descendre dans le jardin une minute ? demanda-t-il. Je crois que j'ai une idée. »

Il courut vers les rosiers. Il les examina soigneusement. Il en choisit un dont les épines étaient à la fois longues et bien pointues.

« Ce sera parfait ! » s'écria-t-il.

Il cueillit une dizaine d'épines et les rapporta dans le creux de sa main chez Mme Bouboule.

«Qu'es-tu donc allé faire là-bas? lui demanda l'ourse. Tu es allé sentir mes roses?

— J'ai rapporté quelque chose pour Mlle Chatounette, répliqua Oui-Oui en posant les épines sur la table. Regardez. Voici des griffes. Elles sont juste comme il faut, longues, pointues, solides... exactement comme celles qu'elle a sur ses pattes de devant!»

Il se tourna vers Mlle Chatounette :

«Hein, qu'en pensez-vous?

— Eh bien..., murmura Mlle Chatounette au comble de l'étonnement. Ce sont de magnifiques griffes! Où les as-tu achetées?

— Je ne les ai pas achetées, je les ai cueillies sur les rosiers de Mme Bouboule. C'est une bonne idée, non?

— Tu as raison, Oui-Oui. Tu es vraiment très astucieux!

— Et tellement malin que je vais lui donner un gros morceau de gâteau au chocolat», intervint Mme Bouboule qui joignit le geste à la parole.

Et elle ajouta :

«Je suis très contente de toi, Oui-Oui!»

Mlle Chatounette eut donc ses griffes, et Oui-Oui, une grosse part de gâteau au chocolat. Tout le monde fut satisfait.

Chapitre 6

Le bonnet
de Potiron

Le nain
Potiron portait
toujours un
bonnet rouge. Cela lui allait
très bien. On ne savait plus à
force si c'était le bonnet qui
était fait pour sa tête ou sa tête
qui était faite pour son bonnet.
En tout cas, il en était très fier
et jamais il ne l'oubliait.

Un matin, Oui-Oui vint, au
volant de sa petite voiture
jaune, lui rendre visite. Il lui

proposa de faire une promenade.

«Je n'ai pas de clients aujourd'hui, déclara-t-il. Alors je suis venu te chercher. Tu vas voir comme ma voiture va vite depuis que je l'ai fait réviser. Monte, Potiron!»

Le nain était ravi.

Il s'assit à côté de Oui-Oui et vroum! vroum! la voiture démarra.

Des douzaines de petits lapins roses en peluche trottaient dans le bois. Oui-Oui appuya sur le klaxon pour les faire détaler.

«Tut! Tut!»

La voiture filait entre les arbres. On grimpa à toute allure au sommet d'une colline. Zoum! Potiron sentit que le vent lui tirait les cheveux en arrière. Vite, il mit la main à son bonnet pour l'empêcher de s'envoler.

Trop tard!
Le bonnet
était déjà parti!
Potiron poussa un hurlement.

« Arrête-toi, Oui-Oui! Arrête-toi tout de suite! Je te dis de t'arrêter!

— Mais je ne peux pas m'arrêter en plein milieu de la côte!»

Oui-Oui, lui, s'amusait beaucoup. Jamais il n'avait conduit aussi vite. Comme c'était drôle!

«Allons, allons, Potiron, n'aie pas peur. Je suis un excellent chauffeur.

— Mais je n'ai pas peur! gronda Potiron qui devenait aussi rouge que son malheureux bonnet. Je te dis de t'arrêter! Tu n'as donc pas vu que mon bonnet était tombé?»

Oui-Oui tourna la tête vers son ami. Il fut si étonné de voir

le nain tête nue qu'il faillit en renverser un lampadaire.

Potiron n'eut que le temps de donner un coup de volant dans l'autre sens.

«Oui-Oui, regarde donc la route!

— Mais c'est toi qui m'as demandé de te regarder! Je ne peux pas avoir les yeux de deux côtés à la fois. Oh! mon pauvre Potiron, voilà que tu n'as plus ton bonnet! Ton joli bonnet rouge!

— Oui, je n'ai plus mon joli bonnet rouge. Jamais je n'en retrouverai un qui m'ira aussi bien. Celui-là était fait spécialement pour ma tête. Qu'est-ce qui te prend de rouler comme un fou, Oui-Oui?

— Faisons demi-tour, nous allons le retrouver», proposa Oui-Oui.

Il fit ce qu'il avait dit et quelques secondes plus tard, la voiture redescendait la colline. Oui-Oui poussa bientôt un cri

de victoire.

« Tiens, regarde ! Sur ce buisson, là-bas ! C'est ton bonnet ! »

Il stoppa tout de suite et courut vers le buisson. Il y avait toutes sortes de choses sur ce buisson. Une robe bleue, un tablier rose, un châle jaune. Mais Oui-Oui ne s'intéressait qu'au plus petit des objets. Quelque chose en tissu rouge.

Il se précipita et tendit la main pour le prendre.

Une voix coléreuse s'éleva alors derrière le buisson.

« Espèce de sale petit voleur ! Veux-tu laisser mon linge là où je l'ai mis à sécher ! Qu'est-ce que tu fais là ? Va-t'en !

— Mais c'est le bonnet de Potiron ! »

Une grosse poupée blonde aux joues roses apparut derrière le buisson.

« Ce n'est pas un bonnet, protesta-t-elle. C'est mon foulard rouge. »

C'était vrai. C'était bien un foulard et pas le bonnet.

Oui-Oui le remit où il l'avait pris. Il était étonné et un peu confus. Il courut vite jusqu'à sa voiture. La poupée courait derrière lui. Elle n'avait pas l'air commode !

« Excusez-moi ! » lui cria Oui-Oui.

Il démarra sans attendre son reste. Potiron n'était pas du tout content :

« Nous ne retrouverons jamais mon bonnet. Je crois que je ne te parlerai plus de la journée. Je suis trop fâché contre toi ! »

Oui-Oui était très malheureux quand Potiron refusait de lui parler.

Le mieux était de retrouver le bonnet le plus vite possible.

« Tiens ! Que vois-je là-bas ?

Oh! oui, c'est lui qui s'envole dans le pré!»

Et hop! Oui-Oui sortit en vitesse de la voiture. Zim! Zoum! Il courut à toutes jambes dans l'herbe.

Ce qu'il avait vu volait à droite et à gauche. En voulant l'attraper, patatras! Oui-Oui dégringola tout de son long dans le ruisseau qui serpentait à travers le pré.

Ce qu'il avait vu, ce n'était pas le bonnet de Potiron. Ce n'était qu'un vieux chiffon dont le garagiste de Miniville, M. Polichinelle, s'était débarrassé le matin. Le vent avait emporté le chiffon jusque dans le pré.

Oui-Oui revint tristement à la voiture.

Potiron ne lui dit rien. Il ne bougeait même pas. Il ne faisait pas de geste. Il se contentait de regarder droit devant lui d'un air sévère.

Ce n'était guère encourageant.

Oui-Oui soupira et remit la voiture en marche.

Si seulement il avait pu trouver ce maudit bonnet ! Sûrement, Potiron serait de meilleure humeur !

Soudain, le petit pantin aperçut un bonnet rouge. Oui, ça en avait l'air. Il se tenait tout droit au-dessus d'un petit mur. C'était sans doute le vent qui l'avait emporté jusque-là.

Oui-Oui descendit à nouveau de voiture. Et vite, il courut jusqu'au mur.

Pas de doute, c'était bien un bonnet rouge. Quelle joie, enfin !

Oui-Oui tendit la main et attrapa le bonnet.

Mais alors, quelle surprise! Une tête apparut derrière le mur!

C'était celle de Frifri le lutin. Il était blanc de colère!

«Oui-Oui! Comment oses-tu? Veux-tu me rendre mon bonnet tout de suite! Quelle audace! Venir me prendre mon bonnet jusque sur ma tête. Tu mériterais une bonne fessée, vilain Oui-Oui!

— Oh! je suis désolé», gémit Oui-Oui d'une toute petite voix.

Il n'attendit pas que le lutin mette sa menace à exécution. Il bondit dans sa voiture et démarra à la seconde même.

Ce n'était vraiment pas de chance!

Potiron avait toujours l'air aussi fâché et il restait toujours aussi silencieux.

«Je vais te ramener chez toi», lui dit Oui-Oui piteusement.

Il roula lentement jusqu'à la maison-champignon de son ami le nain. Et que virent-ils sur la cheminée en arrivant? Quelque chose de rouge qui flottait au vent. Quelle surprise!

«C'est mon bonnet! cria joyeusement Potiron. Le vent me l'a rapporté, et comme je n'étais pas là, il l'a déposé sur ma cheminée pour que je puisse le voir dès mon arrivée.

— Je cours chercher l'échelle et je te le descends tout de suite. Potiron, tu vas me parler maintenant, n'est-ce pas?»

Vite, il grimpa sur le toit et rapporta le bonnet. Potiron souriait en se l'enfonçant sur la tête.

Puis il prit le petit Oui-Oui dans ses bras.

«Allons, Oui-Oui, ne fais pas cette tête-là! Je ne suis plus fâché. Je ne suis fâché que lorsque je n'ai pas mon bonnet sur la tête.

— Alors ne le perds plus jamais!»

Potiron se mit à rire.

«Je ferai attention», promit-il.

Chapitre 7

Une surprise pour Oui-Oui

Ce matin-là, Oui-Oui avait bien astiqué sa petite voiture. Il roula jusqu'à la place du Marché pour charger ses passagers.

Il fit monter tout d'abord Mlle Chatounette qu'il conduisit chez le poissonnier.

Elle voulait faire sa provision de poisson pour la semaine. Puis Cricri, la souris mécanique, lui fit signe. Il la conduisit chez la couturière car elle avait fait un gros accroc à sa robe rose.

« J'ai déchiré ma robe en jouant à cache-cache hier soir », expliqua-t-elle.

La couturière raccommoda la robe. Oui-Oui les emmena alors toutes deux chez le marchand de glaces.

« Tiens, Oui-Oui,

lui dirent-elles, nous t'invitons. Tu vas manger

une glace à la fraise avec nous. »

Ils en mangèrent d'abord une, puis une autre. Cricri racontait des histoires drôles et Oui-Oui riait tellement qu'il en oublia l'heure.

La pendule au mur se mit à sonner et Oui-Oui se leva brusquement.

« Oh ! s'écria-t-il, moi qui avais rendez-vous avec M. Culbuto ! Il faut que je me dépêche. »

Il sortit vite de la boutique. Mais une fois à la porte, quelle surprise !... Sa petite voiture n'était plus là !

« Où est ma voiture ? demanda Oui-Oui. Je suis sûr que je l'avais laissée là. Vous avez bien vu que je l'avais laissée là, n'est-ce pas ? »

Cricri la souris et la couturière firent signe que oui toutes les deux. Elles ne comprenaient pas pourquoi la rue était vide.

Oui-Oui demanda à Jumbo l'éléphant s'il avait vu sa voiture.

Non, Jumbo ne l'avait pas vue. Il saisit Oui-Oui avec sa trompe et le posa sur sa tête.

«Tiens, de là-haut, tu pourras regarder tout à ton aise. Je vais t'emmener dans toutes les rues de Miniville. Nous allons bien la retrouver, cette voiture!»

Jumbo fit donc le tour de la ville avec Oui-Oui confortablement installé sur sa tête.

Mais de voiture jaune, point du tout!

Tout à coup, Oui-Oui se mit à pleurer à chaudes larmes. Floc! Floc! Des petites gouttes tombaient sur les oreilles de

Jumbo. L'éléphant ne trouvait
pas cela très agréable. Il saisit
Oui-Oui avec sa trompe et le
déposa tout de suite à terre.

« Si c'est comme ça, s'écria-t-il,
tu ferais mieux de m'apporter
un parapluie! Je suis tout
mouillé!»

Oui-Oui interrogea Léonie
Laquille qui passait par là avec
sa ribambelle de filles.

« Vous n'avez pas vu mon petit
taxi?»

Non, aucune des quilles ne l'avait vu.

Il fit signe alors au kangourou de l'Arche de Noé. Le kangourou répondit non en faisant un bond.
Puis, en deux autres bonds, il disparut.

Alors apparut M. Paille, le fermier. Oh! miracle! M. Paille avait vu la voiture jaune.

«Elle est partie par là, fit-il en indiquant le bout de la rue. C'est un petit nain rouge qui était au volant. Cela m'a paru bizarre...»

Oui-Oui devint rouge de colère.

«Ce maudit nain m'a volé ma voiture! Je vais aller trouver le gendarme!»

Il partit en courant dans la direction de la gendarmerie.

Le gendarme l'écouta patiemment.

« Bon, répliqua-t-il, allons tous les deux au bois des Nains. Ta voiture y est peut-être. Tiens, monte sur le porte-bagages de ma bicyclette. »

Ils roulèrent sans s'arrêter jusqu'au bois des Nains. Dès qu'ils arrivèrent au grand carrefour, des dizaines de nains vinrent leur demander ce qu'ils voulaient et pourquoi ils étaient venus.

« Je veux inspecter toutes vos voitures », répondit sévèrement le gendarme. Les nains, intrigués, amenèrent les voitures une par une.

Au bout d'un moment, Oui-Oui se remit à pleurer.

« La mienne n'est pas là ! gémit-il tristement. Aucune de celles-là ne ressemble à la mienne ! »

Le gendarme haussa les épaules. C'était vrai. Le taxi de Oui-Oui n'était pas là.

« Et si nous allions demander à Potiron s'il a vu un nain emmener ma voiture ? » proposa Oui-Oui.

Aussitôt dit, aussitôt fait. La bicyclette repartit en cahotant.

Oui-Oui frappa de toutes ses forces contre la porte de la maison-champignon : « Pan ! Pan ! Pan ! »

Hélas ! Potiron n'était pas là. Sa maison était vide.

Tout triste, Oui-Oui remonta

 sur le porte-
bagages de la
bicyclette.
Le gendarme
le ramena
chez lui.
Il le déposa
à l'entrée
du chemin.

Oui-Oui, qui pleurait toujours,
fit quelques pas sans regarder
devant lui. Soudain il leva la
tête. Et, qui aperçut-il, sur les
marches devant sa porte?
Potiron, qui l'attendait.

« Qu'est-ce qu'il y a? cria-t-il à
Oui-Oui de loin.

— Ma voiture a
disparu. On me
l'a volée. Oh! que
je suis malheureux!

— Regarde donc
dans ton garage »,

73

riposta Potiron.

Oui-Oui alla ouvrir la porte du garage. Et croyez-le ou non, le petit taxi jaune était là.

« Oui-Oui, s'écria Potiron, tu pensais donc qu'on t'avait volé ta voiture ? »

Oui-Oui hocha la tête à toute vitesse comme s'il disait oui des centaines de fois.

Potiron reprit en souriant :

« J'ai vu ta voiture garée n'importe comment à côté du marchand de glaces. J'ai attendu longtemps, longtemps, mais tu ne venais pas. J'ai fini par croire que tu étais rentré chez toi en oubliant là ta voiture. Alors je suis monté dedans et je te l'ai ramenée. Bon, sèche tes larmes ! Tout va bien, maintenant ! Tu peux retrouver ton sourire, non ? »

Chapitre 8

Les longues oreilles de Oui-Oui

Ce jour-là, Oui-Oui avait envie de s'amuser. Il roulait gaiement sur la route qui menait au bois, quand il aperçut quelque chose qu'on avait laissé tomber au beau milieu du chemin.

Oui-Oui freina, stoppa, et descendit de voiture.

« Qu'est-ce que c'est que ça ?
Tiens ! des oreilles ! A qui sont-
elles ? A Mlle Chatounette ? A
Zim ? A Jumbo ? Non, aucun
d'eux n'a des oreilles comme
celles-ci, à la fois longues et
pointues. »

Il se demanda à quoi il
ressemblerait avec de longues
oreilles. Il les fixa avec des
épingles sur son bonnet. Puis il
revint en ville et s'examina dans
la glace d'un magasin.

« Je suis vraiment drôle avec
ces oreilles ! J'ai l'impression que
cela me va bien. Il faut
absolument que je me montre
à Potiron. »

Vite, il reprit le volant et fila
comme un bolide en direction
de la maison-champignon de son
ami le nain.

Sur la route, le clown

mécanique lui fit signe.

« Emmène-moi à la gare, Oui-Oui ! Dépêche-toi ! Je te donnerai dix sous en plus si tu arrives avant le départ du train. Tiens, prends ma valise.

— D'accord ! » cria Oui-Oui.

Il prit la route de la gare. Zoum ! Quelle vitesse ! Heureusement que le gendarme n'était pas là pour voir ça ! La voiture arriva juste au moment où le train entrait en gare.

Le clown descendit de l'auto et Oui-Oui le suivit sur le quai

en portant sa valise. Le clown courut, prit en vitesse un billet au guichet et se précipita dans le train. Oui-

Oui lui passa sa valise par la fenêtre et reçut pour sa peine vingt-cinq sous.

Quelle aubaine!

«Je vais pouvoir acheter au moins cinq glaces», se dit OuiOui, tout content.

Il avait complètement oublié qu'il s'était attaché deux longues oreilles sur son bonnet.

Il entendit derrière lui des ricanements moqueurs.

«Vous avez vu? Les oreilles de Oui-Oui ont drôlement poussé!

— Oui-Oui a des oreilles d'âne! Regardez comme cela lui va bien!

— C'est tout à fait ce qui lui convient!

— Il faut le mettre dans l'Arche de Noé avec les autres animaux.

— Oh! le petit âne! Hi! Han! Hi! Han!...»

Oui-Oui se retourna, tout surpris. Il vit qu'on riait de lui. Il se rappela soudain les oreilles qu'il s'était épinglées sur la tête. Il devint tout rouge de confusion.

Il voulut les arracher brusquement, mais elles étaient solidement accrochées.

Le gendarme, qui était sur le quai, s'approcha de lui.

«Oui-Oui, ce sont tes oreilles

qui ont poussé comme ça ?

— N... non ! Je les ai mises sur mon bonnet pour m'amuser et puis je n'y ai plus pensé.

— Sais-tu qu'elles appartiennent à Hi-Han, l'âne de la ferme ? Depuis ce matin, il les cherche partout.

— Je suis vraiment désolé, répondit vivement Oui-Oui. Je ne pensais pas qu'on les cherchait. Tenez, prenez-les et rendez-les à Hi-Han. Et dites-lui que je regrette de les avoir prises. »

Juste à ce moment-là, on entendit un braiment sonore. Hi-Han arrivait à la gare au petit trot car quelqu'un lui avait dit que Oui-Oui avait ses oreilles.

Il s'arrêta juste devant Oui-Oui et tapa rageusement des pieds.

« Mes belles oreilles ! glapit-il de sa voix la plus désagréable. Comment as-tu osé me prendre mes oreilles ? Et tu les as piquées avec des épingles ! Elles sont tout abîmées ! Rends-les-moi tout de suite ! »

Oui-Oui n'arrivait pas à les détacher. Le gendarme dut s'en mêler. Ah ! Enfin ! Ça y était !

« Qui est-ce qui va me les recoudre sur la tête ? demanda l'âne en se déridant un peu.

— Viens avec moi, proposa Oui-Oui. Je vais t'emmener

chez Mme Bouboule, ma voisine.
Elle sait très bien coudre.
Monte dans mon taxi. »

Hi-Han prit ses oreilles entre ses dents et monta dans la voiture.

Oui-Oui démarra.

Au bout de quelques minutes, l'âne se mit à éternuer.
Atchoum! Atchoum!... Plof! Plof! Les deux oreilles tombèrent sur la route!

« Encore! s'écria Oui-Oui en freinant brusquement. C'est la deuxième fois que je ramasse tes oreilles!»

Il était sorti en vitesse de sa voiture et bientôt il tendit à Hi-Han ses oreilles. L'âne les reprit entre ses dents.

« Fais attention, Hi-Han! Je ne serai pas toujours là au bon moment. Si ça continue, un beau jour, tu les perdras complètement!»

Bien entendu, Potiron apprit toute l'histoire. Et quelques jours plus tard, il frappa chez Oui-Oui et lui tendit un petit paquet bien ficelé.

Oui-Oui défit vite les ficelles. Et que trouva-t-il dans le paquet? De longues oreilles d'âne!...

Ils rirent bien tous les deux.

Cependant, comme Oui-Oui aimait bien Hi-Han, mais qu'il ne voulait pas lui ressembler, il demanda à Potiron de rendre les oreilles à leur propriétaire.

Chapitre 9

Oui-Oui
fait le malin

Ce matin-là,
Oui-Oui
conduisait
sa voiture jaune
dans les rues de Miniville.

Sur la place du marché, il
rencontra deux autres voitures.
L'une était
conduite par
Mathurin
le matelot,
l'autre par
Geoffroy,

du théâtre de marionnettes.

« Bonjour, fit Mathurin en appuyant très fort sur son klaxon. Tu permets qu'on jette un coup d'œil sur ton taxi ? »

Oui-Oui arrêta sa voiture.

« Ce n'est pas une belle machine ! s'écria Geoffroy en faisant la grimace. Je parie qu'elle ne va pas très vite. »

Oui-Oui se mit en colère.

« Elle fait au moins du cent à l'heure ! riposta-t-il. Elle peut filer comme un bolide, c'est tout juste si on a le temps de la voir passer !

— Possède-t-elle une marche arrière ? demanda Mathurin. La mienne en a une. Tiens, regarde !

— Bien sûr que j'en ai une aussi ! dit Oui-Oui. Je peux même aller plus vite que toi.

Attends, je vais te montrer. »

Il mit la marche arrière et appuya sur l'accélérateur.

La voiture fit un bond en arrière.

« Attention, Oui-Oui ! Attention ! » lui crièrent Mathurin et Geoffroy.

Mais c'était trop tard !

Oui-Oui venait de cogner contre une petite maison faite en jeu de construction. Patatras ! Boum ! Boum ! Une cascade de morceaux de bois dégringola tout autour de lui.

Oui-Oui regretta aussitôt d'avoir voulu faire le malin. Heureusement, il n'y avait personne dans la maison. Quelle chance !

Oui-Oui dégagea sa voiture et commença à ramasser les pièces du jeu de construction.

Mathurin le matelot et Geoffroy la marionnette vinrent l'aider. A eux trois, ils ne mirent pas très longtemps à reconstruire la maison.

Voilà qui était fait! La maison avait maintenant belle allure. Ils se reculèrent pour examiner leur travail. Soudain, Geoffroy poussa un cri :

«Où est passée la cheminée?»

Les deux autres cherchèrent un peu autour de la maison.

Mais de cheminée, point! Elle avait totalement disparu.

« Elle est peut-être en miettes? suggéra Mathurin. Oui-Oui, tu ferais aussi bien d'aller en commander une autre. »

Oui-Oui reprit tristement son volant.

Il n'avait pas beaucoup d'argent sur lui ce jour-là. Comment faire pour acheter une cheminée neuve?

Il alla trouver M. Moellon, le maçon.

« Bonjour, monsieur. Est-ce que vous pourriez me céder une cheminée neuve pour rien?

— Je t'en donnerai une, Oui-Oui, si tu me rapportes deux œufs frais de la ferme! »

Oui-Oui se dirigea donc vers la ferme.

M. Paille, le fermier,

écouta sa demande.

«Je veux bien te donner deux œufs, mais à une condition, trouve-moi une échelle. Regarde ces belles poires en haut de cette branche! Je voudrais bien les manger, mais il me faut une échelle pour les cueillir.»

Oui-Oui se rendit chez M. Nettoie-Vite, le laveur de carreaux, et lui demanda de lui prêter son échelle.

«Je veux bien te la passer, Oui-Oui, mais va vite demander à Léonie Laquille qu'elle me prête sa brosse à parquet. J'ai perdu la mienne et j'ai promis de faire briller les parquets de mon client quand j'aurai fini de lui laver ses vitres.»

Léonie Laquille voulut bien prêter sa brosse à parquet. Mais elle demanda en échange à Oui-

Oui d'aller trouver
Mlle Chatounette.

« Dis-lui qu'elle me cueille une
laitue dans son jardin.

— Encore! gémit le pauvre
Oui-Oui. Je n'en finirai donc
jamais!»

Il repartit sans perdre de
temps.

Mlle Chatounette était en train
de goûter. Elle en était à sa
troisième tarte aux fraises.

« Je veux bien te donner une
laitue, mais va d'abord me
chercher un litre de lait à la
ferme!»

Oui-Oui
revint donc
chez M. Paille
Le fermier
eut l'air bien
étonné, mais il
accepta de

91

donner un litre de lait à
Oui-Oui. Celui-ci rapporta le lait
à Mlle Chatounette qui lui
donna sa laitue. Il emporta la
laitue chez Léonie Laquille et
celle-ci lui tendit sa brosse à
parquet. Il donna la brosse à
M. Nettoie-Vite et celui-ci lui dit
qu'il pouvait emporter sa grande
échelle.

Oui-Oui l'installa en travers de
sa voiture et roula jusqu'à la
ferme. Il dressa l'échelle contre
le poirier.

Le fermier lui donna deux
œufs frais.

Oui-Oui les porta vite à
M. Moellon.

«Voilà ta cheminée!» lui dit
celui-ci.

Oui-Oui la mit à l'arrière de
sa voiture.

Il fila vers la maison qu'il avait

démolie et reconstruite.

Cette fois-ci, la maison n'était plus vide. Une poupée blonde vêtue d'une splendide robe rose en sortit quand le taxi jaune s'arrêta devant la porte.

«Qu'est-ce que c'est que ça? s'écria-t-elle en fronçant les sourcils. Une cheminée? Je n'ai jamais eu de cheminée et je n'en veux surtout pas!
Enlève moi ça tout de suite, Oui-Oui!»

Oui-Oui repartit avec sa cheminée.

«Ça alors! marmonna-t-il. Si j'avais su!...»

Que faire de la cheminée? Il eut vite une idée. Il installa la cheminée sur le toit du poulailler de M. Bouboule son voisin. Les poussins et les poulets piaillèrent à qui mieux mieux.

« Une cheminée ! Une cheminée ! Notre rêve ! crièrentils. Merci, Oui-Oui. Tu es vraiment le plus gentil des petits pantins. »

Table

HACHETTE JEUNESSE
CREE

T A P E Z
36.15 HachetteL

**Et retrouvez tout sur le CLUB
Hachette Jeunesse Littérature.**

**Comment s'inscrire ?
Les activités et les avantages que
propose le CLUB.
Des jeux, des concours avec des
milliers de cadeaux à gagner.
Sur 3615 HachetteL, retrouvez
également des informations sur les
livres Hachette Jeunesse, les
nouvelles parutions et demandez
les catalogues des collections.**

EN PLUS, LE CLUB EST GRATUIT !

Achevé d'imprimer par Ouest Impressions Oberthur
35000 RENNES - N° 13795 - Mars 1993 - Dépôt éditeur n° 3191
20.21.8768.04.2 - ISBN : 2.01.019509.4

Loi n° 49-956 du 16 juillet 1949 sur les publications destinées à la jeunesse
Dépôt : mars 1993